O Pastorzinho Mentiroso

NUM VALE BEM VERDINHO, RODEADO POR MONTANHAS, VIVIA UM RAPAZ QUE GANHAVA A VIDA PASTOREANDO OVELHAS. ELE HERDOU O OFÍCIO DO PAI, QUE UM DIA LHE DISSE:
— FILHO, ESTE CAJADO ERA DO SEU AVÔ E, COM ELE, VOCÊ CUIDARÁ DAS NOSSAS OVELHAS.
— MAS, PAI, EU SOU NOVO DEMAIS, E TENHO MEDO DE LOBOS! — RESPONDEU O RAPAZ.

— NÃO SE PREOCUPE. SE ALGUMA FERA APARECER, APENAS GRITE "LOBO! LOBO!", QUE O SOCORRO LOGO VIRÁ.

ASSIM, O JOVEM SE VIU OBRIGADO A SEGUIR A TRADIÇÃO DA FAMÍLIA. MAS, NO FUNDO, ELE QUERIA SER ESCRITOR, POIS DESEJAVA BRINCAR COM AS PALAVRAS E CONSTRUIR HISTÓRIAS MIRABOLANTES.

MAS A REALIDADE DO PASTORZINHO ERA BEM MAIS SIMPLES E ROTINEIRA: ELE PASSAVA O DIA TOCANDO O REBANHO DE UM LADO PARA O OUTRO.

— POR AQUI, LULU! GODÔ, NÃO SE AFASTE MUITO! MARICOTA, AONDE PENSA QUE VAI?

CADA OVELHA TINHA UM NOME, ESCOLHIDO PELO PRÓPRIO JOVEM, QUE, NA HORA DE LEVÁ-LAS PARA O CURRAL, FAZIA A CHAMADA.

— CONDE?!
— MÉEEE.
— DUQUESA?!
— MÉEEE.
SE ESTIVESSE FALTANDO UMA OVELHA, O JOVEM LOGO SAÍA À SUA PROCURA.

TODOS OS DIAS ERA A MESMA COISA: SE ANDASSE COM O REBANHO, ELE OUVIA O SINO DO PESCOÇO DAS OVELHAS — BLÉM, BLÉM! QUANDO PARADAS, O ÚNICO SOM QUE ESCUTAVA ERA O DA SUA PRÓPRIA RESPIRAÇÃO.

SEMPRE SOZINHO, ALGUNS PENSAMENTOS VINHAM À MENTE DO PASTORZINHO.

— ESTE LUGAR É LINDO, MAS... O QUE HAVERÁ ALÉM DAS MONTANHAS? EU SEI QUE VOCÊS NÃO PODEM FICAR SEM MIM, OVELHAS. MAS UM DIAZINHO DE DIVERSÃO NÃO MATARIA NINGUÉM. QUANTO MAIS CAMINHAVA, MAIS ELE SENTIA VONTADE DE SER FELIZ, DAR RISADA, E BRINCAR, COMO SEMPRE QUIS.

COM O TEMPO, O PASTOREIO MONÓTONO FOI CHATEANDO CADA VEZ MAIS O JOVEM, QUE COMEÇOU A INVENTAR BRINCADEIRAS PARA SE DIVERTIR.

NUMA DELAS, TINGIU DE CINZA UMA PELE DE OVELHA, VESTIU-A SOBRE OS OMBROS E CORREU ATRÁS DO REBANHO.

— AUUUU, AUUUU! — UIVOU FEITO UM LOBO.

AS OVELHAS FUGIRAM EM DISPARADA,

ENQUANTO O PASTOR ROLAVA DE RIR. NO DIA SEGUINTE, FANTASIOU-SE OUTRA VEZ:
— AUUUU, AUUUU!
— NA DÚVIDA, NÃO TENHAM DÚVIDA — GRITOU A MATRIARCA DAS OVELHAS. — CORRAM, CORRAM!
ALGUMAS FUGIRAM, MAS OUTRAS JÁ NÃO ACREDITAVAM NAQUELE LOBO E CONTINUAVAM PASTANDO, CALMAMENTE.

POR ISSO, O PASTORZINHO FICOU ENTEDIADO. UM DIA, ENQUANTO TIRAVA UM COCHILO, SONHOU QUE QUATRO LOBOS FEROZES, DE CANINOS BRANCOS E OLHOS AMARELOS, VINHAM EM SUA DIREÇÃO. DESESPERADO, ELE GRITAVA:

– LOBOS! LOBOS!

MAS O REBANHO NEM LIGOU, POIS JÁ NÃO ACREDITAVA MAIS EM LOBOS.

ASSUSTADO, O PASTOR ACORDOU DO PESADELO COM O CORAÇÃO ACELERADO.

— UFA, AINDA BEM QUE VOCÊS ESTÃO TODAS AQUI, MINHAS OVELHAS. MAS NÃO É QUE ESSE SONHO ME DEU UMA BOA IDEIA? — PENSOU ELE.

PARECE QUE O PESADELO NÃO SERVIU DE LIÇÃO PARA O RAPAZ, QUE CONTINUOU A BOLAR IDEIAS PARA SE DIVERTIR À CUSTA DOS OUTROS.

O PASTOR LEMBROU-SE DO CONSELHO DO SEU PAI E DECIDIU PREGAR UMA PEÇA NOS ALDEÕES QUE ARAVAM A TERRA ALI PERTO. ELE ENCHEU OS PULMÕES DE AR, E BERROU:

— LOBO! LOBO! VENHAM ME SOCORRER!

OS VIZINHOS LARGARAM TUDO E CORRERAM PARA AJUDAR O RAPAZ. MAS, QUANDO CHEGARAM LÁ, O JOVEM GARGALHAVA SEM PARAR:

— HÁ, HÁ... EU SÓ QUERIA BRINCAR COM VOCÊS! NÃO FOI DIVERTIDO?

AS CARAS SÉRIAS FORAM SUFICIENTES PARA RESPONDER A PERGUNTA. APESAR DE OS ALDEÕES NÃO TEREM GOSTADO DA BRINCADEIRA, O RAPAZ REPETIU A FAÇANHA LOGO NO DIA SEGUINTE.

— SOCORRO! SOCORRO! HÁ LOBOS POR TODA PARTE! PRECISO DE AJUDA!

TODOS INTERROMPERAM SUAS ATIVIDADES E, EMBORA ALGUNS JÁ DUVIDASSEM DO RAPAZ, FORAM EM SEU SOCORRO. MAS, DE NOVO, O ENCONTRARAM RINDO SEM PARAR.

— ESTE MOLEQUE! ELE NÃO ME ENGANA NUNCA MAIS! — ESBRAVEJOU UM DOS HOMENS.

ALGUNS VIZINHOS FICARAM MAIS UM TEMPO PARA DAR ALGUNS CONSELHOS AO PASTORZINHO.

ENTÃO, O RAPAZ LEMBROU DO SEU PESADELO E PROMETEU NÃO APRONTAR MAIS COM AS PESSOAS. PASSADOS ALGUNS DIAS, ENQUANTO AS OVELHAS PASTAVAM E TUDO PARECIA TRANQUILO, O PASTORZINHO OUVIU BARULHOS ESTRANHOS E VIU UM LOBO ENORME SE APROXIMANDO DO REBANHO.
— SOCORRO! SOCORRO! LOBO! LOBO! — GRITOU O JOVEM, DESESPERADO.

TODOS O OUVIRAM, MAS NINGUÉM SE IMPORTOU. O JOVEM REGRESSOU À ALDEIA CHORANDO, POIS NENHUMA DE SUAS OVELHAS SE SALVOU. ENTÃO, O ALDEÃO MAIS VELHO, E SÁBIO, FALOU:

— DESTA VEZ, PASTORZINHO, VOCÊ FALOU A VERDADE. MAS, NA BOCA DO MENTIROSO, O CERTO É SEMPRE DUVIDOSO.